19

EL BARCO
DE VAPOR

El misterio
de la Casa del Palomar

Fina Casalderrey

Ilustraciones de David Sierra Listón

19 / 05 / 2018

Con cariño.

Marisol

sm

LITERATURA**SM**•COM

Primera edición: febrero de 2009
Sexta edición: abril de 2018

Gerencia editorial: Gabriel Brandariz
Coordinación editorial: Carolina Pérez
Coordinación gráfica: Lara Peces

Título original: *O misterio da Casa do Pombal*
Traducción del gallego: Mariano García

© del texto: Fina Casalderrey, 2008
© de las ilustraciones: David Sierra, 2018
© Ediciones SM, 2009, 2018
   Impresores, 2
   Parque Empresarial Prado del Espino
   28660 Boadilla del Monte (Madrid)
   www.grupo-sm.com

ATENCIÓN AL CLIENTE
Tel.: 902 121 323 / 912 080 403
e-mail: clientes@grupo-sm.com

ISBN: 978-84-9107-282-9
Depósito legal: M-5630-2018
Impreso en la UE / *Printed in EU*

A David Afonso C.
Y a ti...

1

HACE MUCHOS AÑOS, en un pueblo marinero protegido del viento del norte por un ejército de altas montañas, alguien construyó una inmensa casa solitaria. En sus robustas paredes de piedra destacan dos enormes ojos abiertos al océano. Sus cristaleras son de un azul intenso que impide ver el interior. Tal vez los vidrios sean de este color de tanto mirar al mar.

El resto de ventanas –que son muchas, aunque más pequeñas– parecen pecas repartidas en un rostro rocoso, gigante y misterioso.

Un enorme portalón de madera, que está sin pintar, se levanta en el centro como una bocaza.

Así es su fachada.

Se cuenta que antaño, en las noches claras y frías de invierno, el humo que salía de sus chimeneas competía con las ramas más altas de un roble centenario para ver quién tocaba antes la Luna, dorada y redonda como una rosca de pascua.

¡Pero eso sucedió hace muchos muchos años!

Nadie recuerda ya cuánto tiempo ha pasado desde que las chimeneas enmudecieron. Las gentes de Vilacova, que así se llama la villa marinera en la que se alza el caserío, ni siquiera recuerdan si, en alguna ocasión, realmente alguien habitó esta suerte de castillo de cuento.

Un castillo de cuento... ¿de terror, quizá?

Muy cerca de la pared que está orientada al sur, aún sigue en pie un bonito palomar, tan antiguo y deshabitado como la vieja casa. Por ese motivo es conocida como «la Casa del Palomar». Un nombre que todo el mundo evita pronunciar y que murmuran como si fuese el de una fiera dormida a la que no quisieran despertar.

Y es que algo extraño se oculta en esa pétrea mansión.

2

PESE A SU ANTIGÜEDAD, tanto la casa como el palomar se conservan en perfecto estado: no hay helechos en los tejados, ni musgo en las escaleras, ni telas de araña en las ventanas...

Otro detalle inquietante tiene que ver con ese azul tan vivo que reflejan los cristales, sobre todo en las noches en que la Luna muestra su cara al completo y pinta de nácar las hojas del viejo roble.

–Jamás os quedéis mirando las ventanas de la Casa de Vilacoba, pues podría dejar ciego a cualquiera que osara mirarlas más de cinco segundos sin bajar la vista –avisan los mayores a los críos.

Desde que los más viejos del lugar tienen memoria, no se ha conocido a nadie que haya entrado o salido de la susodicha mansión; ni siquiera se ha visto que un albañil, un carpintero, un pintor o cualquier otro profesional de la construcción se haya acercado a reparar los daños que con el tiempo se deberían haber producido, tal y como ocurre en cualquier vivienda.

La gente piensa que, por fuerza, tiene que haber alguien que, en el más absoluto secreto, se ocupe de mantenerla en las mejores condiciones y de limpiarla a menudo.

–Si yo dejara las escaleras de mi patio veinte días sin barrer, ¡aparecerían arañas tan grandes como cangrejos junto a mi puerta! –asegura el señor Olimpio, que es un maniático de la limpieza.

–¡Ay, no hables así! ¡Qué asco! Pues anda que esos cristales... Siempre tan azules, tan brillantes. ¡Relucen como espejos! ¡Vete tú a saber si ahí no hay una mano invisible que se ocupa de tenerlo todo impecable! –comenta Lucía, la tabernera.

–Desde luego, sucede algo inexplicable. Yo ya he tenido que cambiar el tejado de mi vivienda dos veces y, sin embargo, la Casa del Palomar sigue tan perfecta como si la acabasen de construir ahora mismo –dice con un hilo de voz un curtido marinero; tan solo él se atreve a pronunciar su nombre.

Lo único que se ha deteriorado con el paso del tiempo ha sido el rótulo que cuelga de la puerta principal.

El cartel está tan borroso que nadie podría asegurar si los números que allí aparecen son ceros, nueves, seises o una combinación de todos ellos.

En cualquier caso, ¿quién podría querer comprar o alquilar semejante mansión?

3

En realidad, nadie se ha interesado por vivir en este sospechoso caserío; ni siquiera se han atrevido jamás a levantar demasiado cerca alguna otra edificación. Piensan si algún desconocido hechizo se habrá apoderado de sus paredes.

Cuando alguien quiere poner a la venta un terreno o cualquier otra propiedad, aclara: «Lejos de la Casa de Vilacova». Y todo el mundo entiende que quiere decir: «Lejos de la Casa del Palomar».

Ni siquiera su último propietario, de quien nada se sabe, fue capaz de vivir allí, ya que las cosas que se comentan del caserío son muchas y horripilantes:

–¡Esa casa está embrujada!

–A mí me dijeron que los verdaderos dueños son los piratas de los océanos y que fueron ellos mismos los que corrieron la voz de que ahí dentro se producen acontecimientos terroríficos. Así pueden esconder en ella todos los tesoros que van saqueando en alta mar, sin que nadie se atreva a entrar para recuperarlos.

–Ya no sé a quién creer. ¡Yo he escuchado otra cosa! A mí me contaron que dentro hay una enorme piscina llena de agua de mar, y que por eso se ve esa luz azul. También, que en ella vive una sirena nórdica, de esas que tienen dos colas.

–¡Ah, sí! Dicen que sus hermanas la encerraron ahí por no querer ser malvada y por negarse a seguir cantando. Ella no quería atraer a los barcos de los marineros para que se estrellaran contra las rocas de los acantilados. Tampoco quería devorar a los náufragos que iban cayendo al agua.

—Yo he oído otra historia: la mandó construir una mujer a la que apodaban «la Mora». Dicen que tenía todos los dientes de oro. Al parecer, arrancó la corona a un famoso rey y, para que no la encontraran, se la escondió en la boca, cerrándola con tanta fuerza que el oro se le quedó clavado en las encías.

—Los del Camino Largo tenían un perro muy osado que, en un descuido, se les es-

capó y se les metió dentro de la casa; al cabo de unos segundos, el chucho salió como un cohete llevándose por delante todo cuanto encontró a su paso. ¡Aseguran que echaba chispas por el rabo!

–Pues un primo de mi abuelo, marinero como tú y que presumía de no tenerle miedo a nada, ¡entró con el pie izquierdo y, cuando salió, en vez de pie, tenía una pezuña de cerdo! ¡Aquello fue terrible!

Quienes lo vieron no son capaces de quitarse esa imagen de la cabeza. El primo de mi abuelo aún sigue corriendo aterrado. ¡Nunca más se ha sabido de él!

–¡No pienso entrar ahí en la vida!

Y así continúan las cosas: muchos rumores, pero ninguna prueba.

4

UN NUEVO OTOÑO se anuncia tímida-
mente en los naranjos –que aparecen re-
bosantes de fruta todavía verde– y en el
color acastañado de las hojas del viejísi-
mo roble.

El Sol, más perezoso que en el verano,
está a punto de acurrucarse bajo el edre-
dón salado del mar. En ese justo momento,
una furgoneta autocaravana atraviesa la
villa con suma lentitud. Sube tan despa-
cio que parece un atleta exhausto buscando, más allá de la meta, un banco en el que
descansar.

Al acercarse a la Casa del Palomar, se
detiene delante de la puerta principal.

Del asiento del conductor baja una mujer mayor con el pelo blanco recogido en una coleta. Sin embargo, los raídos vaqueros que viste y los ágiles movimientos que realiza le dan una apariencia de mujer joven.

Casi al mismo tiempo que ella, un perro todavía cachorro, de suave pelo oscuro y con orejas tiesas y pequeñas que mueve a un lado y a otro con la rapidez de un radar, salta del vehículo. De repente, echa a correr a toda velocidad tras las primeras hojas que el viento arranca de los árboles para hacerlas danzar en caprichosos círculos.

–¡Guau! ¡Guau! ¡Guau!

Dentro de la caravana, todavía se escuchan muchos chillidos y voces...

Al rato, una gata blanca, de andares lentos y orgullosos y con el rabo levantado como el mástil de la vela de un barco, brinca para salir de la furgoneta. Se estira

con exageración, se lame una de sus patas delanteras y se la pasa por una de sus orejas repetidas veces, hasta que, de repente, se fija en el juego del perro. Entonces decide correr, divertida, tras las hojas que a él se le escapan.

Parece que el perro y la gata, a quienes llaman Sol y Luna, se llevan bien.

–Rita, Ramón, ¡no os durmáis, que se nos echa la noche encima! –exclama la mujer volviendo la mirada hacia el vehículo.

No cabe duda de que aún queda alguien dentro...

5

Un niño y una niña se asoman por las puertas traseras de la caravana. Dos parejas de periquitos que revolotean a su alrededor salen al mismo tiempo que ellos.

–¿Sacamos las cajas de fruta, abuela Rosa? –pregunta el niño.

–¿Cogemos también la ropa? –consulta la niña.

A juzgar por la prisa que tienen, parecen temer que la oscuridad los atrape antes de que hayan terminado la mudanza. Tanto se apuran que, sin querer, tiran parte del equipaje por el suelo. La señora Rosa, que trata de tranquilizarlos, les dice:

–Despacito, criaturas… Tened un poco de paciencia, que sois igual de nerviosos.

–¡Es que somos gemelos! –se justifican ambos al mismo tiempo.

–¡Sois gemelos bivitelinos! –completa con énfasis la señora Rosa.

–¿Bivitelinos? –se sorprenden de la palabra.

–Claro. Habéis nacido de dos óvulos, aunque juntos.

–¿Y eso qué es, abuela Rosa? –pregunta Rita.

–Es que habéis crecido cada uno en su bolsita, pero uno al lado del otro, y luego habéis nacido, también, casi a la vez –les explica ella mientras trata de abrir el portalón de la mansión.

–¡Como si una gallina hubiera puesto dos huevos seguidos! –concluye Ramón.

La señora Rosa sonríe y les hace un gesto. Entonces continúan acarreando cajas.

Resulta bastante sorprendente que se atrevan a entrar en la casa después de todo lo que se ha dicho sobre ella.

¿Qué encontrarán en su interior?

¿Piratas, sirenas nórdicas..., brujas, quizá?

6

La señora Rosa es una mujer de corazón puro que, por motivos desconocidos, está criando a Rita y a Ramón desde que eran tan pequeños como los periquitos que, impacientes, esperan sobre el alféizar de una de las ventanas a que alguien les ponga la comida.

La abuela se dedica a la venta ambulante de productos de huerta. Tiene un sueño que, para verse cumplido, requiere de muchos ahorros, y aunque no deja de trabajar, la hucha de cristal donde guarda el dinero no termina de llenarse.

«Un día conseguiré una casa propia, tan grande como un campo de fútbol, tan bo-

nita como el palacio de un rey y tan caliente como un buen fuego. Tendrá una biblioteca llena de libros de todo el mundo y para todo el mundo, una escuela de magia..., y acogerá a todas las personas que, como Ramón y Rita, se hayan quedado solas».

No le será fácil cumplir este sueño, pues la señora Rosa, cuando se encuentra con alguien que no tiene dinero para pagar la compra, siempre dice: «No se preocupe usted, ya me pagará otro día».

Aun sabiendo que la mayoría de las veces perderá el dinero, ella prefiere fiarse de la palabra de la gente que no puede pagarle.

Allá por donde va, la señora Rosa grita:

«¡A las ricas patatas de Coristanco, que fritas son un encanto!».

«¡También son buenas las de La Limia, que ya me lo han dicho muchas amigas!».

«¡Exquisitos pimientos de Herbón, que unos pican y otros no!».

«¡Cerezas de Beade, que hay que ver lo bien que saben!».

«¡Deliciosas frutas de abril, que en un kilo entran mil!».

«¡Repollos de Betanzos, para hacer caldo con garbanzos!».

«¡Naranjas de Valencia, que no tienen competencia!».

La señora Rosa nunca ha tenido una vida fácil, ni siquiera de niña. Quizá por

eso valora tanto todo lo bueno que se encuentra por el camino: «¡La felicidad está hecha de pequeñas cosas!», exclama a menudo. Le encanta esta frase que una vez leyó en un libro.

Y así, recorriendo pueblos y ciudades, fue como encontró la Casa del Palomar. Oyó que alguien la llamaba desde la orilla del río y se acercó. Era un hombre extraño, con voz y maneras delicadas, que

la miraba como si la estuviera esperando. Le ofreció alquilarle su enigmático caserío por muy poco dinero, y como a la señora Rosa le pareció bien, firmaron un acuerdo.

–Un día podrás pagarla y entonces reconocerás una señal que te indicará que la casa puede ser tuya –le dijo mientras desaparecía entre la niebla.

Hacía tanto tiempo que la señora Rosa buscaba una oportunidad así que aceptó el ofrecimiento sin pensar en los inquietantes comentarios que circulaban por los alrededores sobre la casona.

7

La señora Rosa, Rita y Ramón están hoy especialmente nerviosos. Han entrado en la casona seguidos de Sol, Luna y las Estrellas, como llaman a los periquitos.

Varios vecinos que los observan desde lejos no pueden dar crédito a lo que ven.

–¿Cómo se atreven a entrar ahí?

–¡Esa mujer no está bien de la cabeza! ¡Solo a ella se le ocurre meterse con unos niños en esa guarida de lobos!

–¡Espero que esta noche no pase algo terrible! Hay unas nubes rojas hacia el ocaso que no me gustan nada... ¡Qué mal augurio! ¡A que los secuestran los piratas!

Pero a Rosa, a Rita y a Ramón les aterra mucho más no tener cobijo para resguar-

darse del invierno, que promete ser muy duro. Hasta ahora han vivido en la caravana, pero ahí no pueden seguir durante más tiempo. Además deben ir a la escuela durante un curso entero. La abuela Rosa ya les ha enseñado todo lo que sabe sobre cómo deben masticarse las palabras para reconocer sus sabores, cómo puede gozarse de su significado, cómo sentir sus formas...

Les ha enseñado a leer y a escribir, pero intuye que aún les quedan muchas cosas que aprender para vivir la vida con más intensidad.

La Casa del Palomar dispone de un trozo de huerta. Si la señora Rosa plantara sus propias verduras, ya no tendría que comprarlas, y así podría ahorrar más dinero para que su sueño se cumpliese:

«... una casa propia, tan grande como un campo de fútbol, tan bonita como el palacio de un rey y tan caliente como un buen fuego. Tendrá una biblioteca llena de libros de todo el mundo y para todo el mundo, una escuela de magia...».

8

La casa mantiene los muebles intactos y está inexplicablemente limpia. Tanto la señora Rosa como sus Erres –así llama, a veces, a Ramón y a Rita– sienten cierto nerviosismo: también tienen la sensación de que algo va a pasar.

En principio, todo parece en orden...

Tan solo una mancha amarilla que hay en una de las baldosas de la antigua cocina llama la atención de la abuela; enseguida se dispone a limpiarla. Los periquitos siguen sus movimientos. Saben que en cualquier momento les pondrá de comer, y se inquietan.

El perro y la gata salen a la calle para continuar persiguiendo hojas.

Lo primero que hacen los dos hermanos, después de acarrear los bultos desde la caravana al vestíbulo de la entrada, es recorrer las diferentes estancias. ¡Hay tantas! Y todas están perfectamente preparadas, como en una casa de turismo rural en la que se esperara la llegada de los huéspedes. La única diferencia es que allí dentro no hay nadie para recibirlos.

O eso parece...

Mientras la abuela Rosa lo ordena todo para la cena, los gemelos continúan con su inspección; saben que la mejor forma de ahuyentar los miedos es probar que son infundados. Enseguida se encuentran un dormitorio, y otro, y otro, y otro más... Siguen abriendo puertas hasta que localizan un salón enorme.

–¡Cuántos relojes! –se maravilla Ramón–. ¡Y todos están en hora!

–Fíjate: este aparador está lleno de pollitos de oro. Vaya, es como si respiraran. ¡Vayámonos de aquí, que me ponen nerviosa! –exclama Rita.

Continúan entrando y saliendo de un sitio a otro, abriendo y cerrando puertas...

–¡Este manubrio no hay quien lo mueva! –dice Ramón al intentar entrar en un nuevo cuarto.

–A ver... –Rita también quiere probar–. Abre del revés, ¿ves?

Lo mueve hacia arriba y la puerta cede sin mayores dificultades. Entran.

–¡Cuántos libros! –exclaman los dos al mismo tiempo.

Acaban de descubrir la nutrida biblioteca del palacio. Una casona tan amplia y con semejante colección de libros bien merece ser llamada palacio.

Las paredes están abarrotadas de ejemplares, y el techo y el suelo tienen un intenso color azul.

Ambos giran sobre sí mismos... mirando hacia arriba...

–¡Qué lámpara más bonita!

–¡Presta atención, Rita! ¿No sientes como si el mundo entero cupiera aquí?

–Puede ser... Me recuerda a un barco que huele a magia y a historias de muchos lugares... –Rita se decide a participar de esta travesía por los desconocidos océanos del universo–. Abuela Rosa, ¿podemos coger un libro?

A Ramón le llama especialmente la atención uno que está colocado enfrente de los demás libros de una estantería, como si acabaran de ponerlo allí.

–Yo voy a coger este: *La meiga de Vilacova*. Está tan nuevo que seguro que todavía no lo ha abierto nadie –deduce.

–Primero venid aquí, hijitos –ordena la abuela desde la cocina–. Id a la caravana y acarread la leña que nos queda, que vamos a prender una buena lumbre en la chimenea. Aquí dentro no hace frío, pero nos servirá para ahuyentar malos espíritus, si los hubiera. Mañana, de día, debéis ir a por más madera al monte.

Los gemelos obedecen de inmediato y corren hacia la señora Rosa, que les da un cesto de mimbre para que puedan meter los palos.

–¿Y esa mancha en el suelo, abuela? –pregunta Ramón.

9

La abuela Rosa comprueba que hay una nueva mancha, y mientras Sol y Luna dejan de jugar para acompañar a los gemelos, ella se ata un mandil a la cintura, coge un cubo de agua en el pozo de la huerta, le echa detergente y se pone a limpiar el suelo con energía.

–¡Ay, diablos! ¿Cómo no me había fijado en esta otra mancha?

Los periquitos, inquietos, montan un escándalo alrededor del cubo; uno de ellos tira del lazo del mandil y se lo desata.

–¡Condenados traviesos! –los reprende–. ¡Tengo que tener cuidado de que no os ahoguéis en el agua!

Friega el suelo con un cepillo de pelos duros. Luego, con los nietos a su lado, se pone a escoger pimientos, manzanas, patatas..., apartando en otra caja los frutos que empiezan a pudrirse, mientras ellos saborean una cena ligera.

–Hay que vender la mercancía en perfectas condiciones –afirma–. Esto puede aprovecharse para vuestra comida de mañana –les dice a las Estrellas.

Los pájaros pían satisfechos.

Deciden dormir los tres en uno de esos cuartos que tienen varias camas, pues todavía no han tenido tiempo de escoger cada uno su dormitorio. Aunque quizá tan solo sea una excusa para pasar juntos la primera noche.

Se acuestan temprano; están agotados de tanto acarrear y colocar cosas. Enseguida se duermen, sin darse cuenta de que una luz azul se desplaza por la casa como si fuera un ser vivo.

Los dos libros que los gemelos han cogido de la biblioteca yacen a su lado.

Sol y Luna también duermen juntos al pie de la cama de la abuela; las Estrellas, sobre la barra de una percha vacía.

10

Cuando, por la mañana, la señora Rosa decide coger la fruta para salir con la furgoneta a vender sus productos...

–¡Santo cielo! No lo entiendo... Esta fruta que separé ayer, ¿no estaba estropeada? ¿Cómo es que ahora está sana?

Se pasa la mano por la cara y menea la cabeza. Empieza a pensar que, a pesar de su vitalidad, los años no pasan en balde: «¡Esto sí que es bueno! Debí de apartarla como si estuviera en mal estado, y no lo estaba. ¡A quien se lo cuente...!».

Después va a la cocina y se fija en que en el suelo vuelve a aparecer otra mancha amarilla intensa, casi dorada.

«Ayer estaba tan fatigada que no me fijé ni en lo que hacía –dice para sí–. Seguro que no la limpié bien».

Vuelve a fregarla con el mismo cepillo, pero la mancha no quiere salir y tiene que echar un poco de lejía para hacerla desaparecer por completo.

Mientras observa lo que hace, Sol emite un gruñido.

–¿No habrás sido tú, pillín, el que se ha meado en el suelo? –exclama la abuela Rosa.

El perro se acerca a oler y ladra sin parar.

–Si te parece, ahora me riñes a mí, ¿eh? –le regaña con cariño.

Después de limpiar, se despide y se va a vender la mercancía.

«Cuando vuelva, compraré semillas en el gran almacén. Aprovecharé también para buscar un nuevo colegio al que llevar a mis Erres», piensa la abuela.

La señora Rosa lleva la ropa y el alma limpias, pero los bolsillos llenos de incertidumbre y vacíos de dinero.

También lleva su hucha de cristal, en la que piensa meter las monedas que, como lentas gotas de lluvia, vayan cayendo ese día.

11

Los gemelos permanecen en la cama, entretenidos con las lecturas que escogieron en la víspera. A los dos les debe de gustar mucho lo que están leyendo, a juzgar por las caras que ponen. Continúan leyendo hasta que sienten que el bicho del hambre ruge en sus estómagos. Se levantan para desayunar, se van derechos a la cocina y...

–Eh, Sol, eres un guarro. ¡Te has hecho pis aquí! –grita Ramón.

–¡Te voy a frotar el hocico contra el pis! –lo amenaza Rita.

La mancha dorada vuelve a emerger como un corcho en el agua.

–¡Sol no ha podido ser, estaba con nosotros en la habitación! –afirma Rita.

–¡Pues ha tenido que ser Luna! –concluye, intranquilo, Ramón.

Pero, después de limpiar, la mancha de pis siempre aparece de nuevo.

–¡Mira lo que has hecho en la cocina, cochina! –reprende Rita a la gata–. ¡Voy a frotarte el hocico, para que aprendas de una vez por todas que tienes que hacer tus necesidades en el huerto!

Coge a Luna en su regazo y hace el gesto de acercarle el hocico a la orina, pero enseguida la levanta. En realidad, Rita no es capaz de castigarla.

La mancha surge una y otra vez aunque la vuelvan a limpiar.

Aquella orina insiste en mantenerse de manera enigmática.

Sol, Luna y los periquitos acaban recluidos en la habitación en la que han dormido la pasada noche.

–¡Es la mejor manera de descubrir quién diablos viene a la cocina a mear a escondidas! –asegura Rita.

–¡A ver si hay alguien más en la casa! –dice preocupado Ramón.

A pesar del encierro de las mascotas, la mancha dorada vuelve a aparecer y los gemelos empiezan a sentir esos aguijones que provoca el miedo en el pecho.

12

HARTOS DE LIMPIAR y seguros ya de que «el cielo» –así se refieren a Sol, Luna y las Estrellas– no ha sido el culpable, Ramón va a la habitación y les abre:

–¡Venga, ya podéis salir!

Sol mueve el rabo alegremente; Luna se restriega contra las perneras de su pantalón, y los periquitos pían a su alrededor, felices por haber obtenido la libertad. Ninguno de ellos muestra la más mínima señal de rencor.

Rita y Ramón intentan olvidar el asunto de la orina y desayunan fruta de temporada y leche con miel. Luego regresan a la habitación, cogen los libros y continúan leyendo.

–¡Me encanta esta historia! Habla de un viaje al centro de la Tierra –comenta Rita con la intención de distraer la preocupación de su hermano y la suya propia.

–El mío trata de una mujer que mató a una serpiente que, al morir, se convirtió en piedra; también habla de una viga de oro y otra de alquitrán... Me inquieta, pero no puedo parar de leer.

Pasan buena parte del día sumergidos en la lectura. La comida ya la tienen preparada, y la abuela no regresará hasta el anochecer.

Luna, Sol y los periquitos se entretienen inspeccionando la casona. Ellos no saben leer.

Tampoco son capaces de hablar como los humanos, por lo que se impacientan mucho cuando llegan junto a Ramón y Rita para contarles lo que acaban de descubrir en el sótano.

«Miau, miau».

«Guau, guau».

«Rita, Rita».

«Ramón, Ramón».

El lenguaje de sus mascotas no es suficientemente claro como para que los gemelos se den cuenta de que han descubierto un sótano con una entrada casi inaccesible. Están sorprendidas por este descubrimiento.

Para intentar llamar su atención, los periquitos hacen cosquillas con el pico a Ramón y a Rita y repiten sus nombres hasta la saciedad.

Ninguno de ellos se da cuenta hasta que Luna se mete entre las páginas de uno de los libros y Sol rompe a ladrar desesperadamente.

–¡Lárgate de aquí, Luna! –protesta Ramón.

–Sol, ¡que me dejas sorda! ¡Para ya de ladrar! –le grita Rita al perro.

13

Las mascotas insisten tanto que los gemelos deciden salir a la calle con ellas para tratar de calmarlas.

Algunos vecinos observan de lejos, sorprendidos al comprobar que aún no les ha pasado nada terrible. Aquella niña y aquel niño parecen sanos: corren monte arriba hasta el altozano, bajan, se acercan a la orilla del río, pasan de un lado a otro por las piedras de la parte más estrecha, juntan algunos palos de leña, cogen un ramillete de florecillas..., siempre escoltados por un perro, una gata y cuatro periquitos.

En realidad, tratan de hacer tiempo para no regresar a la casona hasta que la

abuela Rosa vuelva. Pero se acerca la hora del atardecer y las enormes ventanas empiezan a reflejar aquella inquietante luz que recoge el color de todos los mares.

Entran y se van directos a la cocina.

—¡Hala, otra vez la meada en el mismo sitio! —el estómago de Rita se encoge de repente.

—¿Quién diablos se hace pis en el suelo de esta casaaaa? —grita Ramón para echar fuera el miedo.

En ese momento sienten un ruido seco, como si algo se cayese al suelo.

—¿Hay alguien ahí? —vuelve a insistir Ramón.

Sol se presenta llevando en la boca el libro que Ramón estaba leyendo y, de repente, todo parece tener explicación: el golpe seco lo ha producido el perro al querer cogerlo. ¡Seguramente se le ha caído al suelo!

Pero los periquitos siguen piando y saltando inquietos, como si anunciaran una descomunal tormenta, un terremoto.

¿Qué es lo que habían descubierto en el sótano del palacio?

Los gemelos deciden pasar el resto del día en la biblioteca con los animales. Algo les dice que ese es un buen lugar para protegerse contra posibles malos espíritus. La abuela no tardará en llegar, encenderá el fuego y todos los temores saldrán

convertidos en humo por alguna de las
chimeneas.

Luna se sube a un estante y tira, sin intención, una caja. De la caja sale una pelota transparente del tamaño de una nuez.
Tiene la apariencia frágil de una pompa
de jabón, aunque comprueban que bota
sin deshacerse.

–¡No, Sol! –grita Rita.

Es demasiado tarde: el perro ya ha aga-
rrado la pelota con la boca. Entonces, al

comprobar que no se deshace, Ramón la coge para experimentar por sí mismo si bota tanto como le ha parecido. La lanza con tal brío que la pelota va directa a estrellarse contra la tulipa central de la lámpara del techo. El sonido que produce al chocar deja un eco como el de una campanada.

¡Todos se aterran!

Cuando piensan que el cristal acabará
en el suelo convertido en piedrecillas de
azúcar, de repente salen de la lámpara
cinco mariposas de luz azulada, ¡una de
cada brazo!

Asustados y maravillados a un tiempo,
siguen a las mariposas que, danzando
en el aire como estorninos, van hacia la
cocina.

Sol ladra, Luna maúlla, las Estrellas pían... Arman tal bullicio que no se sabe si están amedrentados o gritan de alegría. De allí emerge el susodicho líquido dorado, más grande que nunca: ¡es como la meada de un perro gigante!

–¡Eh, cuidado, ahí no! –gritan al mismo tiempo los dos hermanos.

Las mariposas aterrizan directamente en la mancha y allí se dejan morir.

14

–¡EH, RAMÓN, FÍJATE! –Rita es la primera en darse cuenta.

–¡Han desaparecido las mariposas! –Ramón se queda impresionado.

–¡En la baldosa han dejado algo escrito, mira!

Rita lee en voz alta:

Pelo de rapaza,
excremento de ave.
Suficiente prueba,
he aquí la llave.

–¿Excremento de ave? –Ramón recuerda algo...

–¡Claro, caca de ave! –aclara Rita.

–Ya sé... ¡Esto mismo viene en el libro que estoy terminando de leer! Habla de una mujer que, desde hace cientos de años, anda buscando a alguien que sepa administrar su tesoro. Cuando sale a la calle, adopta la forma que quiere: puede ser una mujer, un hombre... Hasta puede tener la apariencia de un animal. ¡En las noches de luna, convertida en luz azul, vaga por

los pasillos del palacio que para ella cons-
truyeron los espíritus que habitan en su
sótano!

–¿Y cómo acaba la historia? –la curio-
sidad pone los ojos de Rita como platos.

–No lo sé todavía. Parece una adivi-
nanza... –Ramón tampoco lo entiende.

Rita corre a la habitación en la que
habían encerrado a sus amigos. Recoge del
suelo algunos excrementos de periquito.

A continuación, cierra los ojos y arranca un pelo de su coleta. Vuelve a la cocina y lo deposita, junto con las cacas, en aquella orina sospechosa, mientras repite:

Pelo de rapaza,
excremento de ave.
Suficiente prueba,
he aquí la llave.

Empujada por una poderosa mano invisible, la baldosa se levanta y gira hacia un lado hasta dejar al descubierto el hueco sobre el que se asienta.

—¡Anda, un cofre! —exclaman ambos hermanos a un tiempo.

—¡Está empapado de pis! ¡Cualquiera lo toca! —dice Ramón con cara de asco.

—Es óxido —acierta a descubrir Rita.

Las cuatro Estrellas vuelan nerviosas por encima de sus cabezas. Sol y Luna enmudecen de repente.

En ese justo instante, la señora Rosa entra por la puerta y, eufórica, les dice:

–Una mujer me pidió manzanas y me contó que no llevaba dinero... Tenía un ojo castaño y otro verde...

–¡Igual que el señor que nos alquiló la casa! –advierte Rita–. Tú nos dijiste que tenía un ojo de cada color.

–¡Pues sí! El caso es que me ha parecido tan pobre que le he dado un poco de todo; hasta le he dado todo el dinero que había juntado, y entonces ella me ha metido esto dentro del bote y...

–¡Una llave de oro! –la interrumpe Ramón.

–Al principio pensé que era una pie-
drecilla; ¡pero cuando se marchó la señora comprobé que se trataba de una llave
de oro! –inmediatamente se da cuenta de
que el suelo está levantado y, cambiando
el tono de voz, dice–: ¡Rabos de lagarto!
¿Y este desastre?

15

A GRANDES RASGOS, los gemelos le explican todo lo acontecido. Todo... lo que ellos saben, claro está.

Y muy lentamente, como si una voz interior se lo estuviera dictando, Rosa prueba a meter la llave en la cerradura de la caja de hierro, la hace girar, siente un ¡cri! como de grillo y, muy despacito, va levantando la tapa... La mueve con tal lentitud que parece una pluma cayendo desde el cielo.

Cuando la tapa del cofre oxidado se pone completamente vertical, se puede ver lo que hay dentro. De la impresión, no puede evitar dejarla caer de golpe sobre el lado contrario, como una piedra.

¡Al instante aparecen cientos y cientos de monedas de oro que relucen hasta cegar la vista!

Tanto brillan que los tres parecen figuras de bronce. Nadie se atreve a tocar aquella fortuna con sus manos.

Los periquitos son los primeros que se animan a sacar monedas, una a una, con sus picos del color de las naranjas. Las amontonan sobre la mesa.

Luna maúlla por cada moneda que las Estrellas van dejando encima de la mesa:

–¡Miau! ¡Miau! ¡Miau! ¡Miau!

Y Sol ladra, imitándola:

–¡Guau! ¡Guau! ¡Guau! ¡Guau!

Cuando las monedas comienzan a desbordarse encima de la mesa, asoma, entre las que han quedado por sacar, un papel suave como el algodón...

–¡Otra nota! –exclama Rita.

–¡Sí, otra nota! –repite Ramón.

La señora Rosa, que todavía no se ha repuesto de la impresión, sospecha que algo mágico debe de haber en lo acontecido. Desenvuelve el papel y lee:

No busques explicación
al mundo que está en los sueños.
Por dar a quien lo precisa,
de esto de aquí sois dueños.

En ese instante, una luz azul atraviesa el palacio, sale por las enormes ventanas que miran al mar y se va hacia el infinito.

–Abuela Rosa, ¡me voy a la biblioteca! Quiero acabar el libro para saber qué hay en el sótano de la casona –avisa Ramón.

–Después me cuentas el final, ¿eh? –le pide su hermana.

La abuela sonríe abiertamente...

De inmediato comprende que la Casa del Palomar será su casa, tan grande como un campo de fútbol, tan bonita como el palacio de un rey y tan caliente como un buen fuego. Tendrá una biblioteca llena de libros de todo el mundo y para todo el mundo, una escuela de magia…, y acogerá a todas las personas que, como Ramón y Rita, se hayan quedado solas.

Sabe seguro que, desde hoy, en el palomar que hay al lado del caserío anidarán docenas y docenas de palomas de todos los colores, y las chimeneas echarán tanto

humo en los inviernos fríos que volverán a competir con las ramas más altas del roble centenario para ver quién toca antes la Luna, dorada y redonda como una rosca de pascua.

«¡Será tan hermoso!».

Enseguida llega desde el sótano un griterío alegre que llena de risas la biblioteca, la cocina y el palacio entero.

Y las primeras palomas empiezan a anidar en el viejo palomar.

TE CUENTO QUE DAVID SIERRA LISTÓN...

... es el pequeño de seis hermanos y sus juguetes favoritos siempre han sido los lápices. Desde niño, cuando no sabía qué hacer, los cogía y se ponía a garabatear formas disparatadas en cualquier parte. Luego, su imaginación las transformaba en animales imposibles, monstruos, superhéroes y muchas otras locuras. Hoy día, apenas puede creer la suerte que tiene por haber hecho de esas locuras su profesión.

David Sierra Listón nació en Madrid en mayo de 1987. Tras finalizar el Bachillerato de Artes, cursó estudios superiores de Ilustración en la madrileña Escuela Arte 10, por cuyo proyecto de fin de grado le fue concedido el Premio Aurelio Blanco para alumnos de Escuelas de Arte de la Comunidad de Madrid. Hasta el momento, su labor profesional se ha centrado en el ámbito de la ilustración infantil y juvenil.

Si quieres saber más acerca de su trabajo, puedes visitar su web:

www.davidsierra.org

TE CUENTO QUE FINA CASALDERREY...

... asistió a la primera escuela de la fantasía en su pueblo. Allí aprendió a engarzar en una paja las fresas pequeñitas que nacen junto a los riachuelos. Luego se llenaba la boca con ellas, como si fueran sabrosas palabras, e imaginaba historias. Y, aunque no había muchos libros en aquel pueblecito, Fina poseía una inmensa biblioteca oral heredada de su padre. Gracias, en parte, a eso, escribe libros, realiza cortometrajes, obras de teatro... Como buena gallega, es una enamorada de su tierra y, por eso, ha publicado muchos libros en los que explora e investiga las costumbres, la comida y las tradiciones de Galicia.

Fina Casalderrey nació en Xeve, Pontevedra, en 1951. Ejerció como maestra durante muchos años, profesión que compaginó con su gran pasión, la escritura. Parte de su obra está traducida a todas las lenguas peninsulares, y también al brasileño, bretón, coreano, italiano, francés, inglés y chino. Ha recibido numerosos premios, y en 1996 le fue concedido el Premio Nacional de Literatura Infantil y Juvenil por *El misterio de los hijos de Lúa*. En 2010 y 2012 fue candidata al premio Astrid Lindgren. Desde 2013 forma parte de la RAG (Real Academia Galega).

Si te ha gustado este libro, visita

LITERATURA**SM**•COM

Allí encontrarás:

- Un montón de libros.
- Juegos, descargables y vídeos.
- Concursos, sorteos y propuestas de eventos.

¡Y mucho más!

Para padres y profesores

- Noticias de actualidad, redes sociales y suscripción al boletín.
- Propuestas de animación a la lectura.
- Fichas de recursos didácticos y actividades.